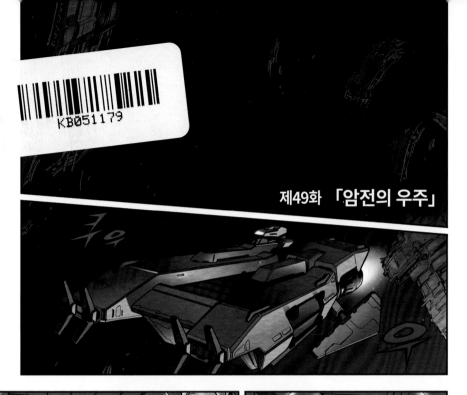

제49화 「암전의 우주」

액시즈에서
협력해준 덕분이다,
올리버 마이
기술 중위!!

감사한다!!

아닙니다,
돌격 강습형
「랑」의

기동 데이터
기록이
제 임무니까요.

소령님의
새로운 기체
입니다.

이건….

아직 부품을
반입하는 중
입니다만.

제49화 「암전의 우주」

이건…
MA인가?

조립하면
전장 76미터,
최대 출력 7만 킬로와트의
괴물이 됩니다.

이것이야말로
'별가루 작전'의
최종 결전 병기에
걸맞은 기체입니다.

MOBILE SUIT
GUNDAM
0083
REBELLION
STARDUST MEMORIES

CONTENTS

만화 나츠모토 마사토(夏元雅人)
원작 야다테 하지메(矢立肇)
토미노 요시유키(富野由悠季)
협력 선라이즈
콘셉트어드바이저 이마니시 타카시(今西隆志)

그래!!

모니크 캐딜락
대위입니다.

델라즈 플리트의
활약에
찬동하는 자도
많다는 사실을
잊지 말아
주십시오!!

액시즈로서는
연방과의
협정 때문에
노골적인 원조는
불가능하지만

액시즈의 허슬러
소장님으로부터
물자 반입과
작전 협력 임무를
받고 이렇게
왔습니다.

이 한 몸
바쳐서…

동포의 기대에
응하겠다!!

부상당한 우라키 소위는 어떤가?

현재 의무실에서 집중 치료 중이라고 합니다.

아, 예!!

그리고…

조금 전에 버닝 대위의 기체를 회수했다고 합니다.

대위는 이미…

순직했다고 합니다.

꽈악

버닝….

………

대량 출혈 때문에 생명이 위태로운 상태입니다.

산소 결핍증에 의한 뇌파 이상은 없습니다만

진공으로 날아갔을 때의 충격과 출혈성 쇼크로 실신한 덕분에

우라키 소위 말입니다만…

최근에 계속된 전투와 불규칙한 보급 때문에 어쩔 수 없었습니다…

게다가 소위의 혈액형은 Rh- 「A」….

500명에 한 명뿐인 특수한 혈액형입니다.

알아봤는데 알비온에는 적합자가 한 명도 없습니다.

어떻게든 살려내주게!!

헌데… 수혈용 혈액이 부족합니다.

뭐라고!! 파일럿용 혈액 팩은 우선해서 준비했을 텐데.

그렇게 여유 있는 상황이 아닙니다.

알았다… 최대한 빨리 가까운 기지로 입항하겠다.

비켜!!

포로를
독방으로
이송 중이다!!

빨간 MA가
대위님을
죽였다고
말이야!!

기체에
전투 기록이
남아 있다!!

너희 중에
빨간 MA
파일럿은
있나?!

있구만.

응...

보고서
줘 봐!!

와이어트
대장과의 교섭이
아쉬운 결과로
끝나서.

대등한 거래
교섭입니다.

아닙니다
바스크
대령님.

살려달라고
빌러 왔나?

그렇다면
핵이라는
카드를 써버린
네놈들에게

와이어트는
전사했다는
보고를 받았다.

솔로몬에서
그 핵탄두가
사용됐고

우리와 교섭할
다른 카드는
없을 것 같다만.

이쪽의
교섭 조건은
우리 해병대를
통째로

연방군
독립부대로
편입해줄 것.

그것
뿐입니다.

그렇다면,
교섭을 위한
카드를
제시해봐라.

예.

바로….

우라키는
위독한
상태랍니다.

특수한
혈액형이라서
수혈용 혈액이
부족하다고….

그놈이랑
같이 출격한 탓에
버닝 대위님이
돌아가셨으니

욕이라도
한 바가지
해주고 싶은데
말이야.

......

Rh- A형
이랍니다.

특수한
혈액형?

설마….

응?

그걸 우라키한테 먹여 버리겠다!!

그럼 네놈을 죽여버리고 피를 몽땅 뽑아서

딴 데 알아봐라.

우라키 …?

코우 우라키 말인가?

알고 있냐?

너, 우라키를

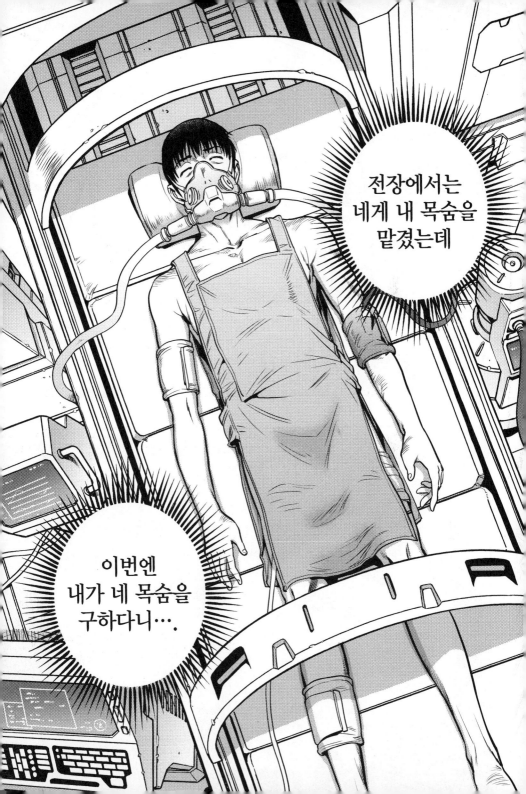

내 싸움은 대체 뭐였던 걸까…

대답해봐라… 우라키.

그나저나 이 근처는 미노프스키 농도가 짙은데.

콜로니 공사에 대한 정시 보고 종료.

사이드3의 무인 콜로니 반송 작업은 순조로움.

거의 전투
농도네요.

응?
뭔가
반응이….

작전
개시다!!

시마 님이
없어도
제대로
해라!!

뭣이?!

이송 중인 무인 콜로니가 재킹 당했다고?!

이게 이쪽 카드입니다.

콜로니 재킹?!

이 타이밍에 말인가?!

폰 브라운
이라고…

폰 브라운으로
가는
궤도라던가.

자…
자세한 건
모르지만

콜로니를 달에…
라트라가 있는
폰 브라운에
떨구는 것이

'별가루
작전'
이었나…?!!

어떻게
된 거냐,
가토?

넌 그걸 알면서
나한테 말을
안 했던 거냐?

가토,
네놈은….

MOBILE SUIT
GUNDAM
0083
REBELLION
STARDUST MEMORIES

MOBILE SUIT

GUNDAM
0083
REBELLION
STARDUST MEMORIES

제50화 「붉은 테트라」

애너하임의
너구리가…
이제야 완성했나.

예!!

클라라…
였나?
고생했다.

약속대로
시마 님의
기체를
가지고
왔습니다.

그럼 이제
해병대에…

잠깐
이거 시승 좀
하고 오겠다.

그 기체는
격납고에
넣어둬라.

시마
님….

원래는
건담이었으니
어쩔 수 없나.

콕피트가
연방
사양이군.

익숙해지는
수밖에
없겠지.

확실하게
말씀해주세요.
해병대 입대를
허락한다고!!

그걸 격납고에
갖다 놓으라고
했을 텐데!!

뭐 하는
거냐?

......

우린 거친
놈들이 모인
날건달
소굴이다!!

그럼 똑똑히
가르쳐주마.

......

너나!!

다행이다...

너 계속
혼수상태
였어...

못 일어나는 줄
알았다니까!!

아…

지온
군함에
갔잖아…

기억 안 나?
애너벨 가토를
쫓아서…

나…
어떻게
된 거야?

다행히 총알이
스치기만 해서
죽진 않았지만…

네가
그런 짓을
해서!!

나 진짜
화났거든!

다시는…

그런
바보같은
짓은…

하지
말라고!!

폴라.

미안해…
폴라.

약속할게…

다시는
안 해.

이
바보야!!

바보!!

으앙
——!!!

아직
지온 군함 안이야.
상황은 달라지지
않았고.

여긴…
어디야?

오히려
나빠졌으
려나….

아니…

이 군함은 액시즈에서 온 함대와 합류했어.

소문은 들어본 적 있지.

액… 시즈?

종전한 뒤에 지온이 지구권을 떠나서 목성의 소행성으로 도망갔다는 얘기.

우리… 전쟁터 한복판에 휘말려든 것 같아.

선발대 캐딜락 대위!! 귀함했습니다!!

음!!

무사히 가토 소령과 합류해서 기체 부품 반입을 진행 중입니다.

이번 반입이 최종 작업입니다.

그래!! 연방에 들키지 않도록 하고!!

액시즈 함대는 연방과의 조약 때문에, 어디까지나 중립을 유지해야만 하니까.

응?

저… 허슬러 소장님.

하나 걸리는 것이….

페네뮌데 기관 소멸 이후에 귀관의 활약은 크게 평가하고 있다.

옛 603 기술 시험대와

46

위 이 잉

현장에서
대처하라고
하신다!!

소장님은
뭐라고
하셨죠?

올리버가 지적한
기체 출력
불안정 얘기,

삐 잉

문제는
없다.

액시즈
공방에서도
견딜 수 있다고
보낸 기체다.

현장
에서…
말이죠.

여전히
말도 안 되는
소리만
하네요.

납득할 것
같습니까?

액시즈 같은
변경에
처박혔으면서도
'기술자'로서

병기 개발
현장에 남은
올리버가

하하

흥

여전하네요 모니크 대위님은.

납득 따위, 병사한테는 필요 없어!!

세상에, 그 함에!!

그 건담의 엔지니어가 타고 있다나 봅니다.

그러고 보니 재밌는 얘기를 들었어요.

지금 여기에 델라즈 플리트의 전령함이 와 있다는데.

건담의… 엔지니어?

애너하임 사원이라면 민간인이잖아요?

참 이상한 얘기네요.

내가 입대를
허가하면
너 같은
꼬마라도

바로
B급 전범이
돼버린다!!
알고는 있나?!

납득… 할 수 없습니다!!

하고 싶지도 않습니다!!

알았으면 있던 데로 돌아가.

칫

이래서 애들은….

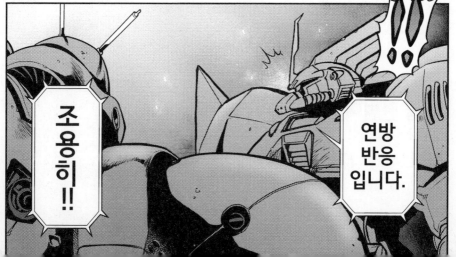

조용히!!

연방 반응 입니다.

제51화「각성」

분명···
우라키라고
했었지.

꽈악

삐
삐
삐

삐
삐
삐 턱

삐
삐
삐
삐
삐

삑

버
버

......

예!!

이,
이런!!

쫘

안정제,
추가!!

빨리!!

우라키…

넌
아직도…

계속 싸울
셈이냐?!

델라즈 플리트
소탕 작전에

핵 공격 피해를
받지 않은 함들을
재편성해서
출격했습니다.

작전 임무는
놈들이 탈취한
무인 콜로니
파괴!!

콜로니는
일단 폰 브라운
상공을
통과한 뒤에

달 중력에 이끌려
주회하고 낙하해서
도시에 명중할 것으로
예측됩니다.

전투에 참가하지 않는다는 조건으로, 액시즈 정부와 시한부 체재 협정을 맺었습니다.

액시즈에서 기어나온 함대의 움직임은?

자브로에서 올라온 함대는 바스크 옴 대령의 지구 궤도 함대였지.

전투가 끝난 뒤에 인도적인 패잔병 회수가 목적이니, 손을 쓰지는 않겠죠.

흥

구경이나 하겠다는 건가!! 뭐, 좋다.

예

여기에 함대를 전개한 뒤로 움직이지 않고 있습니다.

멋대로 굴기는… 거슬리는 함이다!!

응? 이건….

아, 알비온 입니다.

막료들에게 우주군의 존재를 보여줄 좋은 기회다!!

이걸로 군과 상층부의 파벌 싸움도 크게 변동하겠군.

이 난리의 원흉이 되지도 않았을 텐데….

코웬 중장도 건담 개발계획 같은 욕심만 아니었어도

……

건담 2호기 강탈로 시작된, 핵탄두에 의한 막대한 피해…

마치 악몽을 꾸는 것 같다….

드릴 말씀이 없습니다… 코웬 중장님….

이번 지령이 마지막이 될지도 모른다.

……

가까운 시일 내에 내 지휘권이 박탈되겠지….

에규 델라즈의 목을 쳐라!!

현재 전력으로는 너무나 무모한 지령 같습니다.

보급도 증원도 없이… 말입니까?

귀관들의 손으로 '별가루 작전'을 저지하는 것이 유일한 타개책이다.

……

하지만 보급이라면, 딱 하나 짚이는 데가 있다.

알고 있다!! 거부해도 나무라지 않겠다.

귀관들이 판단해서 행동해라!!

3호기?!

건담 개발계획에서 정식 인가된 기체는 3대.

즉…

시제 건담에는 3호기가 존재한다.

MS 한 대를 수령해 봤자…

아니… 하지만

거점 공격에서 절대적 위력을 발휘하는 기체로 개발했다.

그건 보통 기체가 아니다!!

그래서 투항해봤자… A급 전범으로 사형선고가 확정이고.

와이어트가 죽었으니, 그놈이랑 맺은 계약은 깨졌다는 얘기겠지.

그럼 여기서 죽어라.

라이플이라고 해도, 스나이퍼 계열처럼은 안 되네.

적이 라고?!

시마…
인가?

보셨어요?!
시마 님!!

이걸로 저도
해병대에….

내 제안은 받아들이지 않겠다는 건가?

......

네 싸움에는 협력하지 않겠다.

…

이유를 들어야 납득하겠다!!

어째서지?!

너와 내 차이가 뭔지 아나?

시마.

부대장으로서, 부하에 대한 책임은 똑같겠지만

그렇다면 더더욱 부하의 원수를 갚아야지!!

그게 누굴 위한 싸움이지?!

우리를 전범 취급하고 명예를 짓밟은 나라를 위해?

너와 내 차이는…

내가, 부대를 전멸시킨 주제에 혼자만 죽지도 못했다는 점이다!!

하다하다 전범이네 뭐네

죽은 부하들 유족한테 보상금도 주지 않았다!!

부하들은 뭘 위해 싸우다 죽었지?!

나라의 대의를 위한 게 아니었나?!

놈이 죽기 전까지는….

와이어트의 개가 돼서 부하들 유족에게 보상금을 주는,

그런 계약 이었다.

그래!! 돈이다!! 돈 때문이다!!

게일!!

안 돼!! 오지마.

난… 죽은 놈들을 위해 싸우고 있다.

하지만 넌, 지금 살아있는 부하들을 위해 싸운다!!

닮은 것 같으면서도, 전혀 다르지….

……

시마 님….

가토?

이 기체에…

가토가 타는 거죠.

무슨 생각이야?! 니나!!

지온에 협력하려고?!

어쩌다 재수 없게 말려들었을 뿐이야!!

아니…

아니었나?

난 당신들이 협력자인 줄 알았는데…

핵융합로의 필드 형성을 제어하지 못해서 그래요.

원하는 출력이 너무 방대하니까….

설계 구조 차제가 문제라는 건가?

아뇨…

맞아.

그거, 루세트가 연구하던 분야지.

구조엔 문제가 없어요.

고출력 노심 재조정이 가능한 애너하임의 시설이라면

출력 안정화도 가능할 거예요.

저… 현재 위치를 가르쳐주세요.

어째서?

하지만….

시설이 필요하다면, 상황적으로 힘들겠죠.

그러게….

애너하임 시설 중에 짚이는 데가 있어요.

허나!! 무모한 작전에 이의를 제기할 수도 있다.

군인으로서 임무 수행은 책무다.

자네들의 의견을 들려주게!!

너무나… 무모한 작전이다.

알비온 단독으로 델라즈 함대를 습격해서 기함 그와덴을 친다.

작전 지령은 건담 3호기 수령과 함의 보급.

안 그래, 몬시아.

여기서 포기하면 버닝 대위님도 눈을 못 감을 겁니다.

저희도!! 다른 의견은 없습니다!!

함장님의 결단에 맡기겠습니다.

저희 포술과는 이 함과 운명 공동체 입니다.

또 건담이라는 게 마음에 안 들지만!!

그거랑 엮인 탓에 이 꼴이 됐는데도

그놈의 건담!! 건담!!

예?

흐음… 3호기 파일럿으로

몬시아 중위를 선출할 생각이었는데….

타겠습니다!!

다른 사람을 선출할 수밖에…

우라키 중위가 아직 부상 중이지만

중위가 그렇게까지 거절한다면

명령이라면 얼마든지 타겠습니다!! 그 저주받은 기체…

건담 3호기에

이 몬시아가!!

생각보다
멀지 않네….

그리고 재조정이면
한나절 만에 끝나는
작업이고.

여기라면 설비가
전부 있어요.

난 냉정해.

걱정마,
폴라.

제정신이
아닌 것
같아.

진심
이야?
니나…

……

그 구역에 있을 거예요.

예.

정말로 이런 아무것도 없는 구역에, 애너하임 시설이 있다고?

독자 항행형 도크선 '라비앙 로즈'가….

알비온 함장으로서, 결단을 말하겠네….

……

자네들 생각은 잘 들었다….

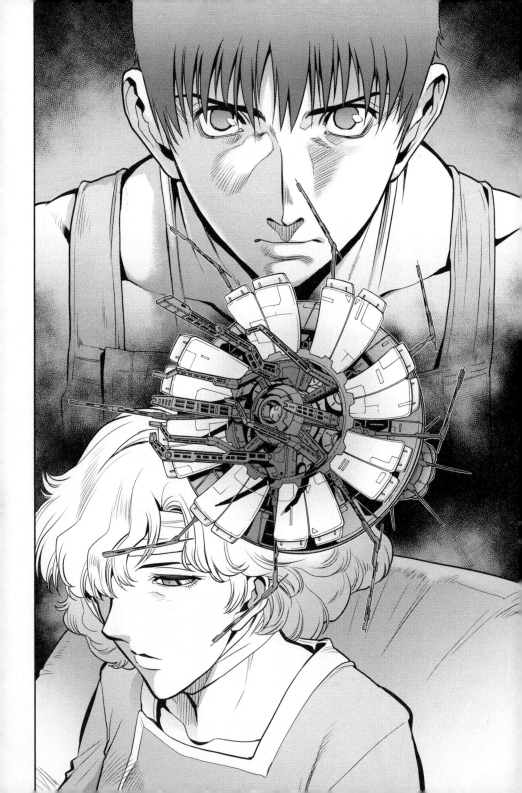

MOBILE SUIT

GUNDAM
0083
REBELLION
STARDUST MEMORIES

MOBILE SUIT
GUNDAM
0083
REBELLION
STARDUST MEMORIES

시마 함대는 작전을 순조롭게 수행 중.

곧 달을 도는 궤도에 들어간다고 합니다.

서두르지 마세요, 가토 소령님.

이대로 가면 델라즈 각하와의 합류에 늦어진다.

크…

라비앙 로즈라는 도크선이라고 합니다.

예.

민간 도크… 애너하임 시설인가?

효율이 좋다고 합니다.

캐딜락 대위 말로는, 민간 도크에서 MA를 조립하는 게

로즈….

라비앙…

처음엔
당신 제안을
거절할 생각
이었습니다.

니나
퍼플턴.

설마 당신이
지온 군인을
데려올 줄은
몰랐군요.

죄송합니다
학스웰 소장님.

저희는
어디까지나
액시즈에서
파견된
부대고

불의의
사태 때문에
이쪽 시설 사용을
요청한 걸로….

민간기업이지만
대놓고 지온군과
엮일 수 없는
입장이라는 건

알고
있겠죠.

감사합니다.

그래요.

인도적
원조 행위로
처리하도록
하겠습니다.

니나
퍼플턴.

기술자로서,
당신과 적잖이

반목했다는 건
인정합니다.

……

서로가
오셜리번
상무의 방식을
좋아하지
않는다는

그런 당신을
여기에
받아들인 건…

공통점이 있기
때문입니다.

……

저는
더이상…

애너하임에
남을 생각이
없습니다!!

예.

당신의 결의를
보도록 하겠어요.

나도 생각
못 했어!!

폴라…
너랑 니나가
이렇게 나타날
줄이야…

그런데
루세트!!

이렇게라도 안 하면
우리는 아직도
지온 군함에
있었을 거야!!

아무것도
모르네…

건담 3호기를 가지러.

지금 알비온이 여기로 오고 있어.

하고 싶은 말이 뭐야?

알비온이?!

그 결과가 어떻게 될지─

니나는 알고 있어?!

우라키 소위가 의식이 돌아왔다던데.

예!!!

군의관으로부터 보고가 있었습니다.

흠…

군의관님 허가는 받았어.

코우!!

돌아다녀도 되는 거야?

……

아.

......

오?

에이스
파일럿께서
부활하셨나.

지온 자식이
수혈한 게
잘 먹혔나봐.

그나저나
놀라운
회복력인데!!

이 자식한테 확인할 게 있으니까.

입 다물어라 키스!!

코우는 아직 몰라요!! 그러니까 나중에….

몬시아 중위님!!

수혈?

지온 포로다!! 그래, 그건 어쩔 수 없는 일이지.

과다 출혈로 죽어가던 너한테 수혈해준 건

게다가 널 알고 있는 건 대체 무슨 일이냐?!

그런데 그놈이 버닝 대위님을 죽인 뻘건 MS 파일럿이고…

알비온이
여기로?

콘페이토
전투에서
1호기를
잃었다더군.

루세트의
3호기를
수령하기
위해서.

하지만 당신은
안 만나는 게
좋을 거야.

그렇다고
들었어.

파일럿은
무사한가요?!

1호기가…?!

코우…

예….

SOUTH BURNING

라비앙 로즈 접현 코스에 들어가겠습니다.

함장님!! 긴급 통신.

진로 변경 요청입니다!!

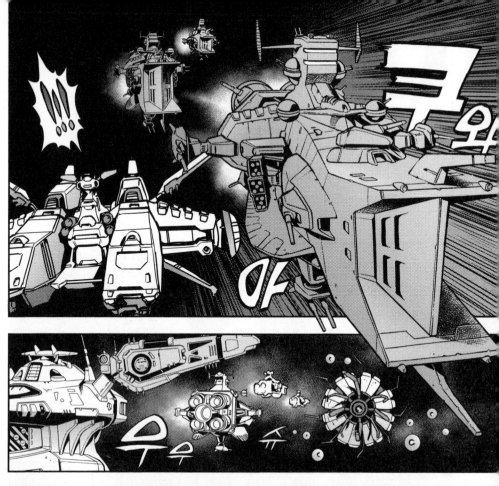

소장님!!
이건?!

지온을
받아들인 걸
들켰다고 보기엔
너무 일러.

진정해!!

어쨌거나…

연방군 입항을 거부할 수는 없으니까.

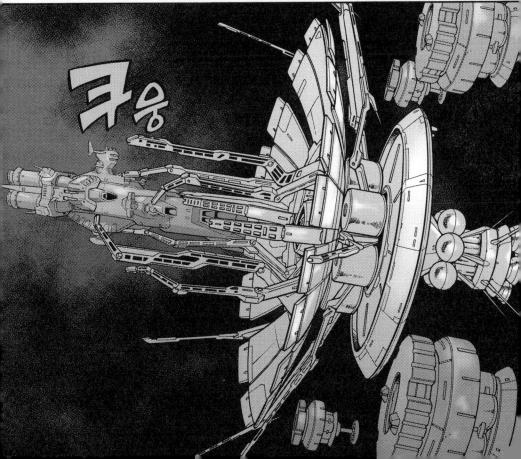

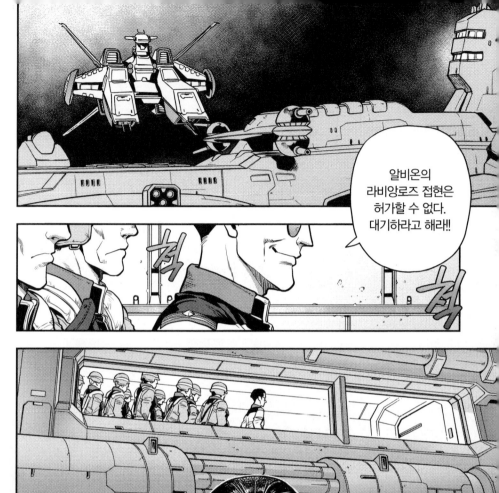

알비온의
라비앙로즈 접현은
허가할 수 없다.
대기하라고 해라!!

나카하 나카토
소령이다!!

NAKOHHA NAKATO

연방군
401 경계 중대…

건담
3호기는….

말도
안 돼!!

이 '스테이멘'은
완성됐다고!!

그럼,
건담 3호기와 관련된
모든 부품의 반출을
허가해주시겠습니까?

적절한 절차를 통해서 신청해 주십시오.

제가 여기서 모은 정보는 전부 정보부가 관리하고 있습니다.

아, 타냐 중위.

정보부가 수집한 건담에 관한 모든 정보를 제출해주게.

자네 상관 앨리스 밀러 소령의 요청으로

건담 개발 계획에 관련된 모든 사항이

레벨A 취급이 돼버렸다네.

그건…

대응이 빠른데…

이미 정보 조작 대상이라는 건가…

즉, 이번 안건은

정보부원 하나가 어떻게 할 수 있는 일이 아니게 됐다는 뜻이다.

……

알겠습니다.

정보부는 이번 사건 자체를 은폐할 생각이야!!

흥

그놈들 정말 끈질기네!!

나카토 소령님!! 알비온에서 항의 통신입니다.

그리고 알비온이 회수한

델라즈 플리트 포로의 인도를 요구하고 있습니다.

답신!!

3호기 회수를 마칠 때까지 대기할 것, 이라고 합니다.

조금 전 통신에는 뭐라고 답할까요?

예…

코웬 중장님과는 아직 연락이 안 되나?

포로 인도 요청은 받아들인다.

3호기 수령 권리는 우리에게 있다!!

허나!! 중장님께 확인할 수 없는 이상

그렇게 전해라!!

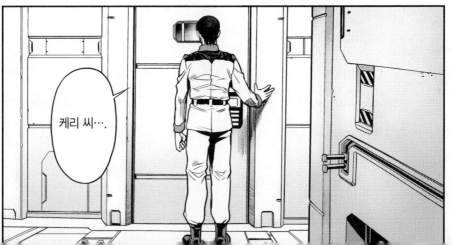

케리 씨….

마치 먼 옛날 일 같습니다.

달에서 있었던 일이…

너도 나도 군인으로서 싸웠다…

단지 그것뿐이다.

싸움은 끝나지 않는다.

그래, 싸울 이유가 있는 한

저는… 가토와 결판을 낼 때까지

계속 싸울 겁니다.

케리 씨가 싸우는 이유는 뭐죠?

일년전쟁의 원한… 인가요?

하지만 당신은
아직 싸움을 포기하지 않은 눈빛입니다.

아니다…
파일럿으로서의 응어리는

너한테 졌을 때 다 타버렸다….

……

작전 목적은 솔로몬에서 연방의 관함식을 방해하는 것.

나는 그렇게 들었다….

가토의 '별가루 작전'….

......

난…
라트라를
지키고 싶다.

그것뿐이다.

제네레이터
안정화는
끝난 것 같네요.

연방 함대가
나타났을 때는
속았다!! 라고
생각했어.

122

혹시 몰라서 조립은 서두르고 있지만.

연방군은 금방 갈 거예요.

예?

니나 퍼플턴.

당신은 앞으로 어쩔 셈이지?

데려가 줬으면 싶어요.

가토가 있는 곳에…

……

민간인을
전장에
데려갈 리가
없잖아!!

당신들 관계에
끼어들 생각은
없지만…

그건
무리야!!

저도
알아요….

…

대위님!!

올리버한테서
암호 통신입니다.

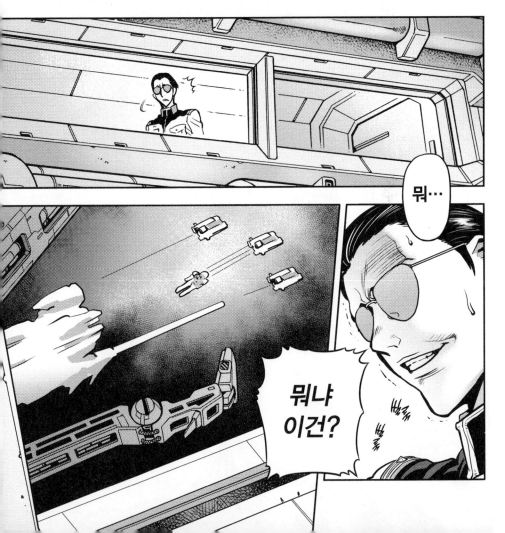

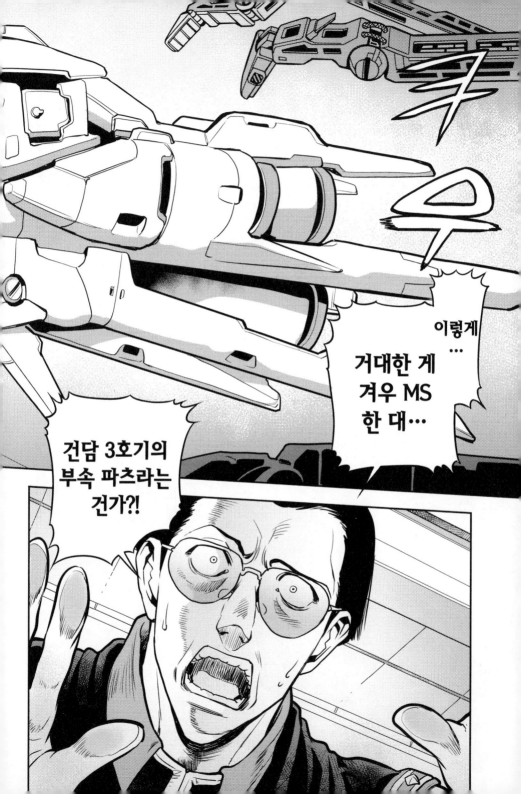

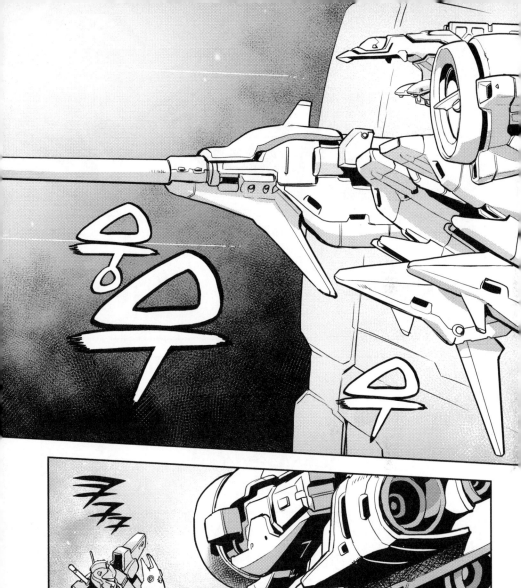

저게… 건담 3호기!!

내가 타야 할 기체가… 끌려가고 있다니!!

……

앉아라, 포로들!!

크다…

뭐야 저건?!

너희는 혼란을 틈타서 도망쳐라!!

대위님은 어디로?!

해야 할 일이 있다.

MS 부대 발진!!

우라키 소위?

괜찮은 거야?

그리고 남은 MS는 없어!!!

있는 건 1호기 예비 코어 파이터 뿐이야!!

우라키, 갑니다!!

상관 없습니다!!

여기 온 게…

가토의
부대일까?

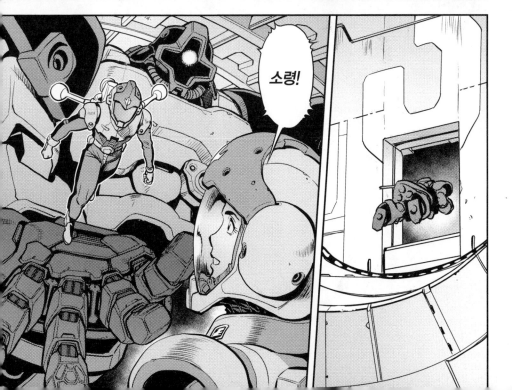

소령!

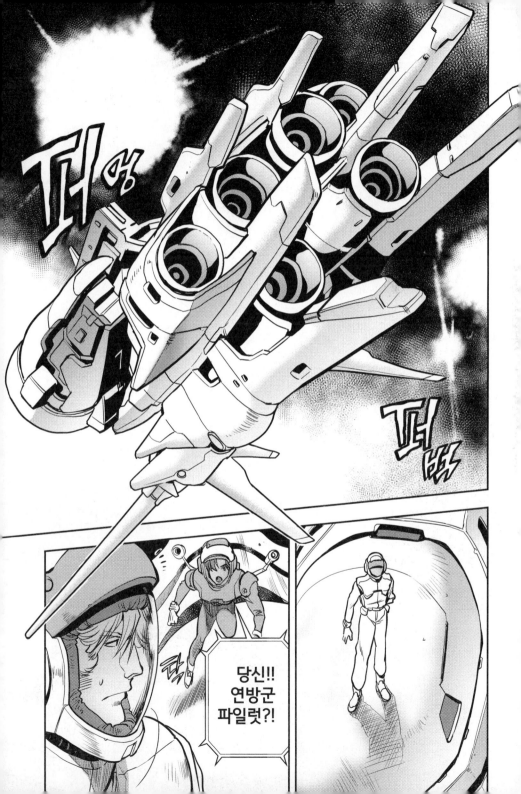

어째서
당신이
거기 있는
거죠?!

콜로니 낙하를
막는다!!

그러기 위해서
이게 필요하기
때문이다.

말
안 해도…!!

네놈도 건담으로
옮겨타라!!

?

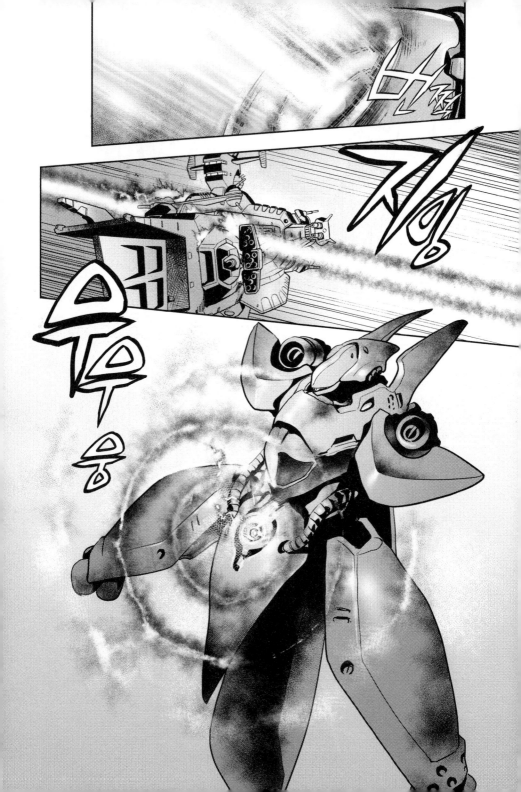

제54화 「대치」

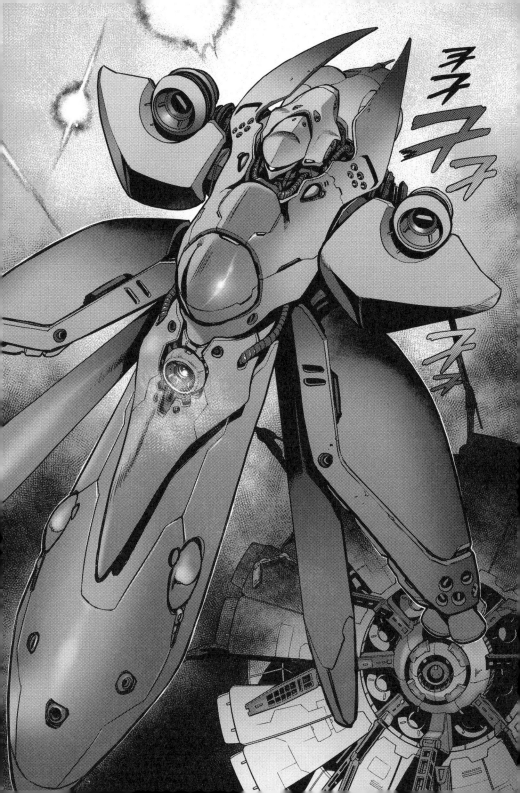

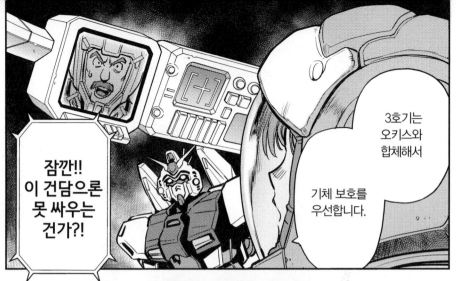

3호기는 오키스와 합체해서

기체 보호를 우선합니다.

잠깐!! 이 건담으론 못 싸우는 건가?!

이쪽의 유도로 도킹 시퀀스를 개시합니다!!

당연하죠!! 실드도 라이플도 없어요!!

도킹?

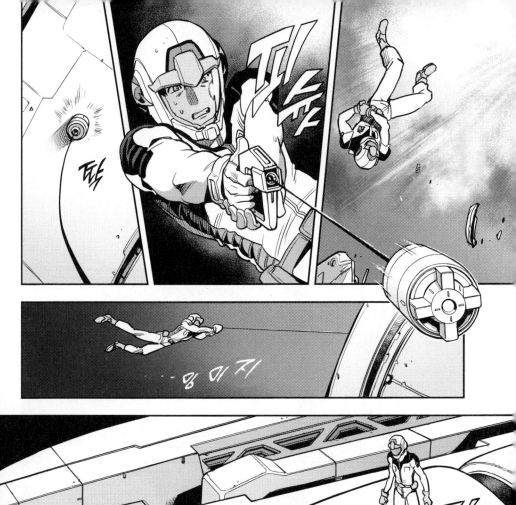

이
장치는⋯.

코어 블록 상태로는 오키스와 합체할 수 없어요!!

콕피트 블록 자체를 교환합니다.

뭐… 뭐야?!

이건 뭔데?!

저거 말인가.

코어 블록 교환?

뭣 때문에 MS와
도킹하는 거지?

오키스는
어디까지나
3호기의
강화 파츠야.

둘이 도킹했을 때
진가를 발휘하게
개발된 기체…

그것이….

Gp—03
『DENDROBIUM
(덴드로비움)』

우라키,
가로챌
셈이냐?!

전방위 모니터가
실용화됐구나!!

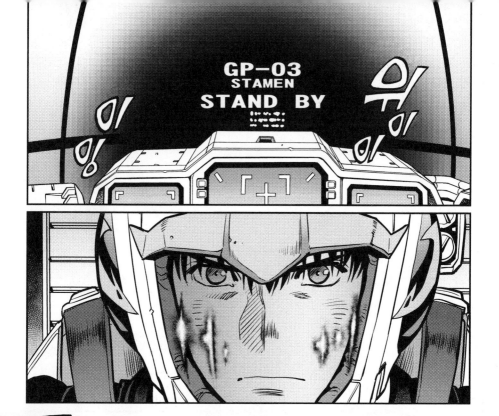

웃기지
우라키 말라고!!
저
자식…

저게 소령의
노이에 질…

저런 데도
조립
도중이라니….

가능한
데이터를
수집해!!

우리 임무는
노이에 질의
기동 데이터를
가지고

액시즈로
돌아가는
거니까!!

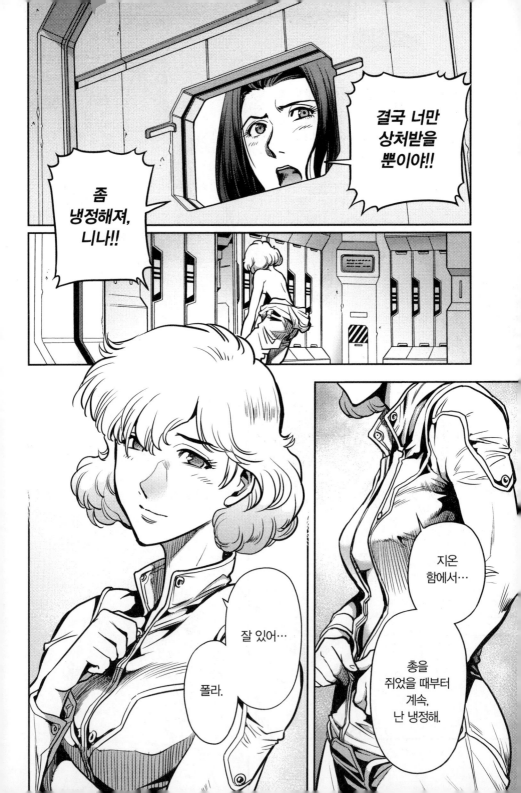

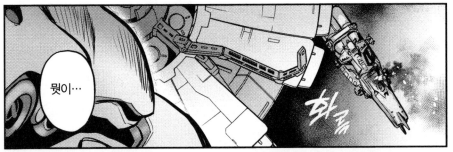